Published by Danilo Promotions Ltd. Unit 3, The io Centre, Lea Road, Waltham Abbey, EN9 1AS, England.
Enquiries: **info@danilo.com** For all other information: **www.danilo.com**
Manufactured in China.

PERSONAL INFORMATION

NAME:

ADDRESS:

MOBILE:

EMAIL:

IN CASE OF EMERGENCY PLEASE CONTACT

NAME:

ADDRESS:

MOBILE:

DOCTOR:

DOCTOR TELEPHONE:

KNOWN ALLERGIES:

NOTES

JANUARY

WK	M	T	W	T	F	S	S
52						1	2
1	3	4	5	6	7	8	9
2	10	11	12	13	14	15	16
3	17	18	19	20	21	22	23
4	24	25	26	27	28	29	30
5	31						

FEBRUARY

WK	M	T	W	T	F	S	S
5		1	2	3	4	5	6
6	7	8	9	10	11	12	13
7	14	15	16	17	18	19	20
8	21	22	23	24	25	26	27
9	28						

MARCH

WK	M	T	W	T	F	S	S
9		1	2	3	4	5	6
10	7	8	9	10	11	12	13
11	14	15	16	17	18	19	20
12	21	22	23	24	25	26	27
13	28	29	30	31			

APRIL

WK	M	T	W	T	F	S	S
13					1	2	3
14	4	5	6	7	8	9	10
15	11	12	13	14	15	16	17
16	18	19	20	21	22	23	24
17	25	26	27	28	29	30	

MAY

WK	M	T	W	T	F	S	S
17							1
18	2	3	4	5	6	7	8
19	9	10	11	12	13	14	15
20	16	17	18	19	20	21	22
21	23	24	25	26	27	28	29
22	30	31					

JUNE

WK	M	T	W	T	F	S	S
22			1	2	3	4	5
23	6	7	8	9	10	11	12
24	13	14	15	16	17	18	19
25	20	21	22	23	24	25	26
26	27	28	29	30			

JULY

WK	M	T	W	T	F	S	S
26					1	2	3
27	4	5	6	7	8	9	10
28	11	12	13	14	15	16	17
29	18	19	20	21	22	23	24
30	25	26	27	28	29	30	31

AUGUST

WK	M	T	W	T	F	S	S
31	1	2	3	4	5	6	7
32	8	9	10	11	12	13	14
33	15	16	17	18	19	20	21
34	22	23	24	25	26	27	28
35	29	30	31				

SEPTEMBER

WK	M	T	W	T	F	S	S
35				1	2	3	4
36	5	6	7	8	9	10	11
37	12	13	14	15	16	17	18
38	19	20	21	22	23	24	25
39	26	27	28	29	30		

OCTOBER

WK	M	T	W	T	F	S	S
39						1	2
40	3	4	5	6	7	8	9
41	10	11	12	13	14	15	16
42	17	18	19	20	21	22	23
43	24	25	26	27	28	29	30
44	31						

NOVEMBER

WK	M	T	W	T	F	S	S
44		1	2	3	4	5	6
45	7	8	9	10	11	12	13
46	14	15	16	17	18	19	20
47	21	22	23	24	25	26	27
48	28	29	30				

DECEMBER

WK	M	T	W	T	F	S	S
48				1	2	3	4
49	5	6	7	8	9	10	11
50	12	13	14	15	16	17	18
51	19	20	21	22	23	24	25
52	26	27	28	29	30	31	

2023

JANUARY

WK	M	T	W	T	F	S	S
52							1
1	2	3	4	5	6	7	8
2	9	10	11	12	13	14	15
3	16	17	18	19	20	21	22
4	23	24	25	26	27	28	29
5	30	31					

FEBRUARY

WK	M	T	W	T	F	S	S
5			1	2	3	4	5
6	6	7	8	9	10	11	12
7	13	14	15	16	17	18	19
8	20	21	22	23	24	25	26
9	27	28					

MARCH

WK	M	T	W	T	F	S	S
9			1	2	3	4	5
10	6	7	8	9	10	11	12
11	13	14	15	16	17	18	19
12	20	21	22	23	24	25	26
13	27	28	29	30	31		

APRIL

WK	M	T	W	T	F	S	S
13						1	2
14	3	4	5	6	7	8	9
15	10	11	12	13	14	15	16
16	17	18	19	20	21	22	23
17	24	25	26	27	28	29	30

MAY

WK	M	T	W	T	F	S	S
18	1	2	3	4	5	6	7
19	8	9	10	11	12	13	14
20	15	16	17	18	19	20	21
21	22	23	24	25	26	27	28
22	29	30	31				

JUNE

WK	M	T	W	T	F	S	S
22				1	2	3	4
23	5	6	7	8	9	10	11
24	12	13	14	15	16	17	18
25	19	20	21	22	23	24	25
26	26	27	28	29	30		

JULY

WK	M	T	W	T	F	S	S
26						1	2
27	3	4	5	6	7	8	9
28	10	11	12	13	14	15	16
29	17	18	19	20	21	22	23
30	24	25	26	27	28	29	30
31	31						

AUGUST

WK	M	T	W	T	F	S	S
31		1	2	3	4	5	6
32	7	8	9	10	11	12	13
33	14	15	16	17	18	19	20
34	21	22	23	24	25	26	27
35	28	29	30	31			

SEPTEMBER

WK	M	T	W	T	F	S	S
35					1	2	3
36	4	5	6	7	8	9	10
37	11	12	13	14	15	16	17
38	18	19	20	21	22	23	24
39	25	26	27	28	29	30	

OCTOBER

WK	M	T	W	T	F	S	S
39							1
40	2	3	4	5	6	7	8
41	9	10	11	12	13	14	15
42	16	17	18	19	20	21	22
43	23	24	25	26	27	28	29
44	30	31					

NOVEMBER

WK	M	T	W	T	F	S	S
44			1	2	3	4	5
45	6	7	8	9	10	11	12
46	13	14	15	16	17	18	19
47	20	21	22	23	24	25	26
48	27	28	29	30			

DECEMBER

WK	M	T	W	T	F	S	S
48					1	2	3
49	4	5	6	7	8	9	10
50	11	12	13	14	15	16	17
51	18	19	20	21	22	23	24
52	25	26	27	28	29	30	31

2022

NEW YEAR'S DAY	JAN 1
NEW YEAR'S DAY HOLIDAY	JAN 3
BANK HOLIDAY (SCOTLAND)	JAN 4
CHINESE NEW YEAR (TIGER)	FEB 1
VALENTINE'S DAY	FEB 14
ST. DAVID'S DAY (WALES) / SHROVE TUESDAY	MAR 1
ST. PATRICK'S DAY	MAR 17
DAYLIGHT SAVING TIME STARTS / MOTHERING SUNDAY	MAR 27
RAMADAN BEGINS	APR 2
GOOD FRIDAY / PASSOVER BEGINS	APR 15
EASTER SUNDAY	APR 17
EASTER MONDAY	APR 18
ST. GEORGE'S DAY	APR 23
EARLY MAY BANK HOLIDAY	MAY 2
QUEEN'S PLATINUM JUBILEE BANK HOLIDAY	JUN 2
QUEEN'S PLATINUM JUBILEE BANK HOLIDAY	JUN 3
FATHER'S DAY	JUN 19
BATTLE OF THE BOYNE (NORTHERN IRELAND)	JUL 12
ISLAMIC NEW YEAR BEGINS	JUL 29
SUMMER BANK HOLIDAY (SCOTLAND)	AUG 1
SUMMER BANK HOLIDAY (ENG, NIR, WAL)	AUG 29
THE UNITED NATIONS INTERNATIONAL DAY OF PEACE	SEPT 21
ROSH HASHANAH (JEWISH NEW YEAR) BEGINS	SEPT 25
YOM KIPPUR BEGINS	OCT 4
WORLD MENTAL HEALTH DAY	OCT 10
DIWALI	OCT 24
DAYLIGHT SAVING TIME ENDS	OCT 30
HALLOWEEN	OCT 31
GUY FAWKES NIGHT	NOV 5
REMEMBRANCE SUNDAY	NOV 13
ST. ANDREW'S DAY (SCOTLAND)	NOV 30
CHRISTMAS DAY	DEC 25
BOXING DAY	DEC 26
BANK HOLIDAY	DEC 27
NEW YEAR'S EVE	DEC 31

PLANNER 2022

JANUARY	FEBRUARY	MARCH
1 S	1 T	1 T
2 S	2 W	2 W
3 M	3 T	3 T
4 T	4 F	4 F
5 W	5 S	5 S
6 T	6 S	6 S
7 F	7 M	7 M
8 S	8 T	8 T
9 S	9 W	9 W
10 M	10 T	10 T
11 T	11 F	11 F
12 W	12 S	12 S
13 T	13 S	13 S
14 F	14 M	14 M
15 S	15 T	15 T
16 S	16 W	16 W
17 M	17 T	17 T
18 T	18 F	18 F
19 W	19 S	19 S
20 T	20 S	20 S
21 F	21 M	21 M
22 S	22 T	22 T
23 S	23 W	23 W
24 M	24 T	24 T
25 T	25 F	25 F
26 W	26 S	26 S
27 T	27 S	27 S
28 F	28 M	28 M
29 S		29 T
30 S		30 W
31 M		31 T

APRIL

1	F
2	S
3	S
4	M
5	T
6	W
7	T
8	F
9	S
10	S
11	M
12	T
13	W
14	T
15	F
16	S
17	S
18	M
19	T
20	W
21	T
22	F
23	S
24	S
25	M
26	T
27	W
28	T
29	F
30	S

MAY

1	S
2	M
3	T
4	W
5	T
6	F
7	S
8	S
9	M
10	T
11	W
12	T
13	F
14	S
15	S
16	M
17	T
18	W
19	T
20	F
21	S
22	S
23	M
24	T
25	W
26	T
27	F
28	S
29	S
30	M
31	T

JUNE

1	W
2	T
3	F
4	S
5	S
6	M
7	T
8	W
9	T
10	F
11	S
12	S
13	M
14	T
15	W
16	T
17	F
18	S
19	S
20	M
21	T
22	W
23	T
24	F
25	S
26	S
27	M
28	T
29	W
30	T

PLANNER 2022

JULY	AUGUST	SEPTEMBER
1 F	1 M	1 T
2 S	2 T	2 F
3 S	3 W	3 S
4 M	4 T	4 S
5 T	5 F	5 M
6 W	6 S	6 T
7 T	7 S	7 W
8 F	8 M	8 T
9 S	9 T	9 F
10 S	10 W	10 S
11 M	11 T	11 S
12 T	12 F	12 M
13 W	13 S	13 T
14 T	14 S	14 W
15 F	15 M	15 T
16 S	16 T	16 F
17 S	17 W	17 S
18 M	18 T	18 S
19 T	19 F	19 M
20 W	20 S	20 T
21 T	21 S	21 W
22 F	22 M	22 T
23 S	23 T	23 F
24 S	24 W	24 S
25 M	25 T	25 S
26 T	26 F	26 M
27 W	27 S	27 T
28 T	28 S	28 W
29 F	29 M	29 T
30 S	30 T	30 F
31 S	31 W	

OCTOBER	NOVEMBER	DECEMBER
1 S	1 T	1 T
2 S	2 W	2 F
3 M	3 T	3 S
4 T	4 F	4 S
5 W	5 S	5 M
6 T	6 S	6 T
7 F	7 M	7 W
8 S	8 T	8 T
9 S	9 W	9 F
10 M	10 T	10 S
11 T	11 F	11 S
12 W	12 S	12 M
13 T	13 S	13 T
14 F	14 M	14 W
15 S	15 T	15 T
16 S	16 W	16 F
17 M	17 T	17 S
18 T	18 F	18 S
19 W	19 S	19 M
20 T	20 S	20 T
21 F	21 M	21 W
22 S	22 T	22 T
23 S	23 W	23 F
24 M	24 T	24 S
25 T	25 F	25 S
26 W	26 S	26 M
27 T	27 S	27 T
28 F	28 M	28 W
29 S	29 T	29 T
30 S	30 W	30 F
31 M		31 S

Make Your Soul Happy

JANUARY

To do ....

....

....

....

....

Birthdays ....

....

....

....

Goals ....

....

....

....

27 Monday

28 Tuesday

29 Wednesday

30 Thursday

Friday 31

J

NEW YEAR'S EVE

Saturday 1

NEW YEAR'S DAY

Sunday 2

Notes

T	F	S	S	M	T	W	T	F	S	S	M	T	W	T	F	S	S	M	T	W	T	F	S	S	M	T	W	T	F	S
16	17	18	19	20	21	22	23	24	25	26	27	28	29	30	31	1	2	3	4	5	6	7	8	9	10	11	12	13	14	15

3 Monday

4 Tuesday

5 Wednesday

6 Thursday

Friday 7

J

Saturday 8

Sunday 9

Notes

10 Monday

11 Tuesday

12 Wednesday

13 Thursday

Friday 14

J

Saturday 15

Sunday 16

Notes

17 *Monday*

18 *Tuesday*

19 *Wednesday*

20 *Thursday*

Friday 21

J

·······

Saturday 22

·······

Sunday 23

·······

Notes

S	M	T	W	T	F	S	S	M	T	W	T	F	S	S	M	T	W	T	F	S	S	M	T	W	T	F	S	S	M
1	2	3	4	5	6	7	8	9	10	11	12	13	14	15	16	17	18	19	20	21	22	23	24	25	26	27	28	29	30	31

24 *Monday*

25 *Tuesday*

26 *Wednesday*

27 *Thursday*

Friday 28

Saturday 29

Sunday 30

Notes

S	M	T	W	T	F	S	S	M	T	W	T	F	S	S	M	T	W	T	F	S	S	M	T	W	T	F	S	S	M
1	2	3	4	5	6	7	8	9	10	11	12	13	14	15	16	17	18	19	20	21	22	23	24	25	26	27	28	29	30	31

FEBRUARY

To do ....

....

....

....

Birthdays ....

....

....

....

Goals ....

....

....

....

31 Monday

1 Tuesday

CHINESE NEW YEAR (TIGER)

2 Wednesday

3 Thursday

Friday 4

F

Saturday 5

Sunday 6

Notes

S	M	T	W	T	F	S	S	M	T	W	T	F	S	S	M	T	W	T	F	S	S	M	T	W	T	F	S	S	M	T
16	17	18	19	20	21	22	23	24	25	26	27	28	29	30	31	1	2	3	4	5	6	7	8	9	10	11	12	13	14	15

7 *Monday*

8 *Tuesday*

9 *Wednesday*

10 *Thursday*

Friday 11

F

Saturday 12

Sunday 13

Notes

T	W	T	F	S	S	M	T	W	T	F	S	S	M	T	W	T	F	S	S	M	T	W	T	F	S	S	M
1	2	3	4	5	6	7	8	9	10	11	12	13	14	15	16	17	18	19	20	21	22	23	24	25	26	27	28

14 *Monday*

15 *Tuesday*

16 *Wednesday*

17 *Thursday*

Friday 18

F

Saturday 19

Sunday 20

Notes

FEBRUARY 2022

21 Monday

22 Tuesday

23 Wednesday

24 Thursday

Friday 25

F

Saturday 26

Sunday 27

Notes

T	W	T	F	S	S	M	T	W	T	F	S	S	M	T	W	T	F	S	S	M	T	W	T	F	S	S	M
1	2	3	4	5	6	7	8	9	10	11	12	13	14	15	16	17	18	19	20	21	22	23	24	25	26	27	28

MARCH

To do ....

....

....

....

Birthdays ....

....

....

....

Goals ....

....

....

....

28 Monday

1 Tuesday

ST. DAVID'S DAY (WALES) / SHROVE TUESDAY

2 Wednesday

3 Thursday

Friday 4

M

Saturday 5

Sunday 6

Notes

7 Monday

8 Tuesday

9 Wednesday

10 Thursday

Friday 11

Saturday 12

Sunday 13

Notes

T W T F S S M T W T F S S M T W T F S S M T W T F S S M T W T
1 2 3 4 5 6 7 8 9 10 11 12 13 14 15 16 17 18 19 20 21 22 23 24 25 26 27 28 29 30 31

14 Monday

15 Tuesday

16 Wednesday

17 Thursday

ST. PATRICK'S DAY

Friday 18

Saturday 19

Sunday 20

Notes

21 *Monday*

22 *Tuesday*

23 *Wednesday*

24 *Thursday*

Friday 25

Saturday 26

DAYLIGHT SAVING TIME STARTS / MOTHERING SUNDAY

Sunday 27

Notes

T	W	T	F	S	S	M	T	W	T	F	S	S	M	T	W	T	F	S	S	M	T	W	T	F	S	S	M	T	W	T
1	2	3	4	5	6	7	8	9	10	11	12	13	14	15	16	17	18	19	20	21	22	23	24	25	26	27	28	29	30	31

Time to SHINE

APRIL

To do ....

....

....

....

Birthdays ....

....

....

....

Goals ....

....

....

....

28 *Monday*

29 *Tuesday*

30 *Wednesday*

31 *Thursday*

Friday 1

A

RAMADAN BEGINS

Saturday 2

Sunday 3

Notes

4 *Monday*

5 *Tuesday*

6 *Wednesday*

7 *Thursday*

Friday 8

A

Saturday 9

Sunday 10

Notes

F	S	S	M	T	W	T	F	S	S	M	T	W	T	F	S	S	M	T	W	T	F	S	S	M	T	W	T	F	S
1	2	3	4	5	6	7	8	9	10	11	12	13	14	15	16	17	18	19	20	21	22	23	24	25	26	27	28	29	30

11 *Monday*

12 *Tuesday*

13 *Wednesday*

14 *Thursday*

Friday 15

GOOD FRIDAY / PASSOVER BEGINS

Saturday 16

Sunday 17

EASTER SUNDAY

Notes

F	S	S	M	T	W	T	F	S	S	M	T	W	T	F	S	S	M	T	W	T	F	S	S	M	T	W	T	F	S
1	2	3	4	5	6	7	8	9	10	11	12	13	14	15	16	17	18	19	20	21	22	23	24	25	26	27	28	29	30

18 Monday

EASTER MONDAY

19 Tuesday

20 Wednesday

21 Thursday

Friday 22

Saturday 23

ST. GEORGE'S DAY

Sunday 24

Notes

F	S	S	M	T	W	T	F	S	S	M	T	W	T	F	S	S	M	T	W	T	F	S	S	M	T	W	T	F	S
1	2	3	4	5	6	7	8	9	10	11	12	13	14	15	16	17	18	19	20	21	22	23	24	25	26	27	28	29	30

See all The GOOD THINGS

MAY

To do ....
....
....
....
....

Birthdays ....
....
....
....

Goals ....
....
....
....

25 *Monday*

26 *Tuesday*

27 *Wednesday*

28 *Thursday*

Friday 29

Saturday 30

M

Sunday 1

Notes

S	S	M	T	W	T	F	S	S	M	T	W	T	F	S	S	M	T	W	T	F	S	S	M	T	W	T	F	S	S
16	17	18	19	20	21	22	23	24	25	26	27	28	29	30	1	2	3	4	5	6	7	8	9	10	11	12	13	14	15

2 *Monday*

3 *Tuesday*

4 *Wednesday*

5 *Thursday*

Friday   6

Saturday   7

M

Sunday   8

Notes

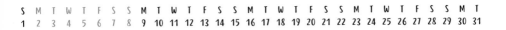

S M T W T F S S M T W T F S S M T W T F S S M T W T F S S M T
1   2   3   4   5   6   7   8   9   10   11   12   13   14   15   16   17   18   19   20   21   22   23   24   25   26   27   28   29   30   31

9 *Monday*

10 *Tuesday*

11 *Wednesday*

12 *Thursday*

Friday 13

Saturday 14

M

Sunday 15

Notes

S	M	T	W	T	F	S	S	M	T	W	T	F	S	S	M	T	W	T	F	S	S	M	T	W	T	F	S	S	M	T
1	2	3	4	5	6	7	8	9	10	11	12	13	14	15	16	17	18	19	20	21	22	23	24	25	26	27	28	29	30	31

16 *Monday*

17 *Tuesday*

18 *Wednesday*

19 *Thursday*

Friday 20

Saturday 21

M

Sunday 22

Notes

S	M	T	W	T	F	S	S	M	T	W	T	F	S	S	M	T	W	T	F	S	S	M	T	W	T	F	S	S	M	T
1	2	3	4	5	6	7	8	9	10	11	12	13	14	15	16	17	18	19	20	21	22	23	24	25	26	27	28	29	30	31

23 Monday

24 Tuesday

25 Wednesday

26 Thursday

Friday 27

Saturday 28

M

Sunday 29

Notes

S M T W T F S S M T W T F S S M T W T F S S M T W T F S S M T
1 2 3 4 5 6 7 8 9 10 11 12 13 14 15 16 17 18 19 20 21 22 23 24 25 26 27 28 29 30 31

JUNE

To do ....

....

....

....

Birthdays ....

....

....

....

Goals ....

....

....

....

30 *Monday*

---

31 *Tuesday*

---

1 *Wednesday*

---

2 *Thursday*

QUEEN'S PLATINUM JUBILEE BANK HOLIDAY

JUNE 2022

Friday 3

QUEEN'S PLATINUM JUBILEE BANK HOLIDAY

Saturday 4

J

Sunday 5

Notes

M T W T F S S M T W T F S S M T W T F S S M T W T F S S M T W
16 17 18 19 20 21 22 23 24 25 26 27 28 29 30 31 1 2 3 4 5 6 7 8 9 10 11 12 13 14 15

6   *Monday*

7   *Tuesday*

8   *Wednesday*

9   *Thursday*

Friday 10

Saturday 11

J

Sunday 12

Notes

W	T	F	S	S	M	T	W	T	F	S	S	M	T	W	T	F	S	S	M	T	W	T	F	S	S	M	T	W	T
1	2	3	4	5	6	7	8	9	10	11	12	13	14	15	16	17	18	19	20	21	22	23	24	25	26	27	28	29	30

13 *Monday*

14 *Tuesday*

15 *Wednesday*

16 *Thursday*

Friday 17

Saturday 18

FATHER'S DAY

Sunday 19

Notes

W T F S S M T W T F S S M T W T F S S M T W T F S S M T W T
1 2 3 4 5 6 7 8 9 10 11 12 13 14 15 16 17 18 19 20 21 22 23 24 25 26 27 28 29 30

20 Monday

21 Tuesday

22 Wednesday

23 Thursday

Friday 24

Saturday 25

J

Sunday 26

Notes

W	T	F	S	S	M	T	W	T	F	S	S	M	T	W	T	F	S	S	M	T	W	T	F	S	S	M	T	W	T
1	2	3	4	5	6	7	8	9	10	11	12	13	14	15	16	17	18	19	20	21	22	23	24	25	26	27	28	29	30

JULY

To do
....

....

....

....

Birthdays
....

....

....

....

Goals
....

....

....

....

27 *Monday*

28 *Tuesday*

29 *Wednesday*

30 *Thursday*

Friday   1

Saturday   2

Sunday   3

Notes

T	F	S	S	M	T	W	T	F	S	S	M	T	W	T	F	S	S	M	T	W	T	F	S	S	M	T	W	T	F
16	17	18	19	20	21	22	23	24	25	26	27	28	29	30	1	2	3	4	5	6	7	8	9	10	11	12	13	14	15

4 *Monday*

5 *Tuesday*

6 *Wednesday*

7 *Thursday*

Friday 8

· ·

Saturday 9

J

· ·

Sunday 10

· ·

Notes

F	S	S	M	T	W	T	F	S	S	M	T	W	T	F	S	S	M	T	W	T	F	S	S	M	T	W	T	F	S	S
1	2	3	4	5	6	7	8	9	10	11	12	13	14	15	16	17	18	19	20	21	22	23	24	25	26	27	28	29	30	31

11 Monday

12 Tuesday

BATTLE OF THE BOYNE (NORTHERN IRELAND)

13 Wednesday

14 Thursday

Friday 15

Saturday 16

J

Sunday 17

Notes

F	S	S	M	T	W	T	F	S	S	M	T	W	T	F	S	S	M	T	W	T	F	S	S	M	T	W	T	F	S	S
1	2	3	4	5	6	7	8	9	10	11	12	13	14	15	16	17	18	19	20	21	22	23	24	25	26	27	28	29	30	31

18 *Monday*

19 *Tuesday*

20 *Wednesday*

21 *Thursday*

Friday 22

Saturday 23

J

Sunday 24

Notes

25 *Monday*

26 *Tuesday*

27 *Wednesday*

28 *Thursday*

Friday 29

ISLAMIC NEW YEAR BEGINS

Saturday 30

J

Sunday 31

Notes

F S S M T W T F S S M T W T F S S M T W T F S S M T W T F S S
1 2 3 4 5 6 7 8 9 10 11 12 13 14 15 16 17 18 19 20 21 22 23 24 25 26 27 28 29 30 31

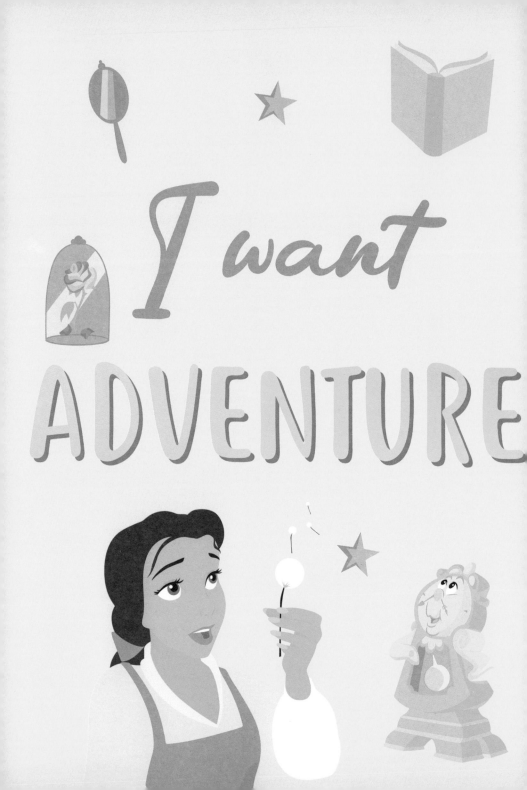

AUGUST

To do ....

....

....

....

Birthdays ....

....

....

....

Goals ....

....

....

....

1 Monday

SUMMER BANK HOLIDAY (SCOTLAND)

2 Tuesday

3 Wednesday

4 Thursday

Friday 5

Saturday 6

Sunday 7

A

Notes

M T W T F S S M T W T F S S M T W T F S S M T W T F S S M T W
1 2 3 4 5 6 7 8 9 10 11 12 13 14 15 16 17 18 19 20 21 22 23 24 25 26 27 28 29 30 31

8 *Monday*

9 *Tuesday*

10 *Wednesday*

11 *Thursday*

Friday 12

Saturday 13

Sunday 14

A

Notes

M T W T F S S M T W T F S S M T W T F S S M T W T F S S M T W
1 2 3 4 5 6 7 8 9 10 11 12 13 14 15 16 17 18 19 20 21 22 23 24 25 26 27 28 29 30 31

15 *Monday*

16 *Tuesday*

17 *Wednesday*

18 *Thursday*

Friday 19

···

Saturday 20

···

Sunday 21

A

···

Notes

M	T	W	T	F	S	S	M	T	W	T	F	S	S	M	T	W	T	F	S	S	M	T	W	T	F	S	S	M	T	W
1	2	3	4	5	6	7	8	9	10	11	12	13	14	15	16	17	18	19	20	21	22	23	24	25	26	27	28	29	30	31

22 Monday

23 Tuesday

24 Wednesday

25 Thursday

Friday 26

Saturday 27

Sunday 28

A

Notes

Once Upon
Upon
A DREAM

SEPTEMBER

To do ....

....

....

....

Birthdays ....

....

....

....

Goals ....

....

....

....

29 Monday

30 Tuesday

31 Wednesday

1 Thursday

Friday 2

Saturday 3

Sunday 4

S

Notes

5 *Monday*

6 *Tuesday*

7 *Wednesday*

8 *Thursday*

Friday 9

Saturday 10

Sunday 11

Notes

T	F	S	S	M	T	W	T	F	S	S	M	T	W	T	F	S	S	M	T	W	T	F	S	S	M	T	W	T	F
1	2	3	4	5	6	7	8	9	10	11	12	13	14	15	16	17	18	19	20	21	22	23	24	25	26	27	28	29	30

12 Monday

13 Tuesday

14 Wednesday

15 Thursday

Friday 16

Saturday 17

Sunday 18

S

Notes

T	F	S	S	M	T	W	T	F	S	S	M	T	W	T	F	S	S	M	T	W	T	F	S	S	M	T	W	T	F
1	2	3	4	5	6	7	8	9	10	11	12	13	14	15	16	17	18	19	20	21	22	23	24	25	26	27	28	29	30

19 Monday

20 Tuesday

21 Wednesday

THE UNITED NATIONS INTERNATIONAL DAY OF PEACE

22 Thursday

Friday 23

Saturday 24

Sunday 25

ROSH HASHANAH (JEWISH NEW YEAR) BEGINS

S

Notes

T	F	S	S	M	T	W	T	F	S	S	M	T	W	T	F	S	S	M	T	W	T	F	S	S	M	T	W	T	F
1	2	3	4	5	6	7	8	9	10	11	12	13	14	15	16	17	18	19	20	21	22	23	24	25	26	27	28	29	30

Sweet as APPLE PIE

OCTOBER

To do ....
....
....
....
....

Birthdays ....
....
....
....

Goals ....
....
....
....

26 *Monday*

27 *Tuesday*

28 *Wednesday*

29 *Thursday*

Friday 30

Saturday 1

Sunday 2

Notes

3 *Monday*

4 *Tuesday*   *YOM KIPPUR BEGINS*

5 *Wednesday*

6 *Thursday*

Friday   7

Saturday   8

Sunday   9

Notes

OCTOBER 2022

10 Monday

11 Tuesday

12 Wednesday

13 Thursday

Friday 14

Saturday 15

Sunday 16

0

Notes

S	S	M	T	W	T	F	S	S	M	T	W	T	F	S	S	M	T	W	T	F	S	S	M	T	W	T	F	S	S	M
1	2	3	4	5	6	7	8	9	10	11	12	13	14	15	16	17	18	19	20	21	22	23	24	25	26	27	28	29	30	31

17 *Monday*

18 *Tuesday*

19 *Wednesday*

20 *Thursday*

Friday 21

Saturday 22

Sunday 23

Notes

24 Monday

DIWALI

25 Tuesday

26 Wednesday

27 Thursday

Friday 28

Saturday 29

DAYLIGHT SAVING TIME ENDS

Sunday 30

Notes

S	M	T	W	T	F	S	S	M	T	W	T	F	S	S	M	T	W	T	F	S	S	M	T	W	T	F	S	S	M
1	2	3	4	5	6	7	8	9	10	11	12	13	14	15	16	17	18	19	20	21	22	23	24	25	26	27	28	29	30	31

NOVEMBER

To do ....

....

....

....

Birthdays ....

....

....

....

Goals ....

....

....

....

31 *Monday*

1 *Tuesday*

2 *Wednesday*

3 *Thursday*

Friday 4

Saturday 5

GUY FAWKES NIGHT

Sunday 6

Notes

S	M	T	W	T	F	S	S	M	T	W	T	F	S	S	M	T	W	T	F	S	S	M	T	W	T	F	S	S	M	T
16	17	18	19	20	21	22	23	24	25	26	27	28	29	30	31	1	2	3	4	5	6	7	8	9	10	11	12	13	14	15

7 *Monday*

8 *Tuesday*

9 *Wednesday*

10 *Thursday*

Friday 11

Saturday 12

REMEMBRANCE SUNDAY

Sunday 13

N

Notes

T	W	T	F	S	S	M	T	W	T	F	S	S	M	T	W	T	F	S	S	M	T	W	T	F	S	S	M	T	W
1	2	3	4	5	6	7	8	9	10	11	12	13	14	15	16	17	18	19	20	21	22	23	24	25	26	27	28	29	30

14 *Monday*

15 *Tuesday*

16 *Wednesday*

17 *Thursday*

Friday 18

Saturday 19

Sunday 20

Notes

T	W	T	F	S	S	M	T	W	T	F	S	S	M	T	W	T	F	S	S	M	T	W	T	F	S	S	M	T	W
1	2	3	4	5	6	7	8	9	10	11	12	13	14	15	16	17	18	19	20	21	22	23	24	25	26	27	28	29	30

21 Monday

22 Tuesday

23 Wednesday

24 Thursday

Friday 25

Saturday 26

Sunday 27

Notes

T W T F S S M T W T F S S M T W T F S S M T W T F S S M T W
1 2 3 4 5 6 7 8 9 10 11 12 13 14 15 16 17 18 19 20 21 22 23 24 25 26 27 28 29 30

DECEMBER

To do ....

....

....

....

....

Birthdays ....

....

....

....

Goals ....

....

....

....

28 *Monday*

29 *Tuesday*

30 *Wednesday*   **ST. ANDREW'S DAY (SCOTLAND)**

1 *Thursday*

Friday   2

Saturday   3

Sunday   4

Notes

W	T	F	S	S	M	T	W	T	F	S	S	M	T	W	T	F	S	S	M	T	W	T	F	S	S	M	T	W	T
16	17	18	19	20	21	22	23	24	25	26	27	28	29	30	1	2	3	4	5	6	7	8	9	10	11	12	13	14	15

5 Monday

6 Tuesday

7 Wednesday

8 Thursday

Friday 9

Saturday 10

Sunday 11

Notes

12 Monday

13 Tuesday

14 Wednesday

15 Thursday

Friday 16

Saturday 17

Sunday 18

Notes

19 Monday

20 Tuesday

21 Wednesday

22 Thursday

Friday 23

Saturday 24

CHRISTMAS DAY

Sunday 25

Notes

T	F	S	S	M	T	W	T	F	S	S	M	T	W	T	F	S	S	M	T	W	T	F	S	S	M	T	W	T	F	S
1	2	3	4	5	6	7	8	9	10	11	12	13	14	15	16	17	18	19	20	21	22	23	24	25	26	27	28	29	30	31

26 *Monday*

BOXING DAY

27 *Tuesday*

BANK HOLIDAY

28 *Wednesday*

29 *Thursday*

Friday 30

NEW YEAR'S EVE

Saturday 31

NEW YEAR'S DAY

Sunday 1

Notes

J

PLANNER 2023

JANUARY	FEBRUARY	MARCH
1 S	1 W	1 W
2 M	2 T	2 T
3 T	3 F	3 F
4 W	4 S	4 S
5 T	5 S	5 S
6 F	6 M	6 M
7 S	7 T	7 T
8 S	8 W	8 W
9 M	9 T	9 T
10 T	10 F	10 F
11 W	11 S	11 S
12 T	12 S	12 S
13 F	13 M	13 M
14 S	14 T	14 T
15 S	15 W	15 W
16 M	16 T	16 T
17 T	17 F	17 F
18 W	18 S	18 S
19 T	19 S	19 S
20 F	20 M	20 M
21 S	21 T	21 T
22 S	22 W	22 W
23 M	23 T	23 T
24 T	24 F	24 F
25 W	25 S	25 S
26 T	26 S	26 S
27 F	27 M	27 M
28 S	28 T	28 T
29 S		29 W
30 M		30 T
31 T		31 F

APRIL	MAY	JUNE
1 S	1 M	1 T
2 S	2 T	2 F
3 M	3 W	3 S
4 T	4 T	4 S
5 W	5 F	5 M
6 T	6 S	6 T
7 F	7 S	7 W
8 S	8 M	8 T
9 S	9 T	9 F
10 M	10 W	10 S
11 T	11 T	11 S
12 W	12 F	12 M
13 T	13 S	13 T
14 F	14 S	14 W
15 S	15 M	15 T
16 S	16 T	16 F
17 M	17 W	17 S
18 T	18 T	18 S
19 W	19 F	19 M
20 T	20 S	20 T
21 F	21 S	21 W
22 S	22 M	22 T
23 S	23 T	23 F
24 M	24 W	24 S
25 T	25 T	25 S
26 W	26 F	26 M
27 T	27 S	27 T
28 F	28 S	28 W
29 S	29 M	29 T
30 S	30 T	30 F
	31 W	

PLANNER 2023

JULY	AUGUST	SEPTEMBER
1 S	1 T	1 F
2 S	2 W	2 S
3 M	3 T	3 S
4 T	4 F	4 M
5 W	5 S	5 T
6 T	6 S	6 W
7 F	7 M	7 T
8 S	8 T	8 F
9 S	9 W	9 S
10 M	10 T	10 S
11 T	11 F	11 M
12 W	12 S	12 T
13 T	13 S	13 W
14 F	14 M	14 T
15 S	15 T	15 F
16 S	16 W	16 S
17 M	17 T	17 S
18 T	18 F	18 M
19 W	19 S	19 T
20 T	20 S	20 W
21 F	21 M	21 T
22 S	22 T	22 F
23 S	23 W	23 S
24 M	24 T	24 S
25 T	25 F	25 M
26 W	26 S	26 T
27 T	27 S	27 W
28 F	28 M	28 T
29 S	29 T	29 F
30 S	30 W	30 S
31 M	31 T	

OCTOBER	NOVEMBER	DECEMBER
1 S	1 W	1 F
2 M	2 T	2 S
3 T	3 F	3 S
4 W	4 S	4 M
5 T	5 S	5 T
6 F	6 M	6 W
7 S	7 T	7 T
8 S	8 W	8 F
9 M	9 T	9 S
10 T	10 F	10 S
11 W	11 S	11 M
12 T	12 S	12 T
13 F	13 M	13 W
14 S	14 T	14 T
15 S	15 W	15 F
16 M	16 T	16 S
17 T	17 F	17 S
18 W	18 S	18 M
19 T	19 S	19 T
20 F	20 M	20 W
21 S	21 T	21 T
22 S	22 W	22 F
23 M	23 T	23 S
24 T	24 F	24 S
25 W	25 S	25 M
26 T	26 S	26 T
27 F	27 M	27 W
28 S	28 T	28 T
29 S	29 W	29 F
30 M	30 T	30 S
31 T		31 S

ADDRESS / PHONE NUMBERS

NAME

ADDRESS

TELEPHONE   MOBILE

EMAIL

NAME

ADDRESS

TELEPHONE   MOBILE

EMAIL

NAME

ADDRESS

TELEPHONE   MOBILE

EMAIL

NAME

ADDRESS

TELEPHONE   MOBILE

EMAIL

NAME

ADDRESS

TELEPHONE   MOBILE

EMAIL

NAME

ADDRESS

TELEPHONE   MOBILE

EMAIL

ADDRESS / PHONE NUMBERS

NAME

ADDRESS

TELEPHONE   MOBILE

EMAIL

NAME

ADDRESS

TELEPHONE   MOBILE

EMAIL

NAME

ADDRESS

TELEPHONE   MOBILE

EMAIL

NAME

ADDRESS

TELEPHONE   MOBILE

EMAIL

NAME

ADDRESS

TELEPHONE   MOBILE

EMAIL

NAME

ADDRESS

TELEPHONE   MOBILE

EMAIL

NOTES

NOTES